€0,50

D0335214

Er zijn vijf boeken over De Toverlamp:

Het monster

De raket

De Witte Ridder

De schat

De draak

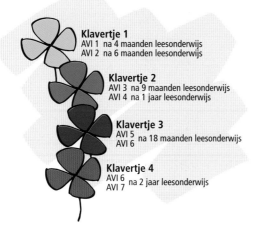

Klavertje 1
AVI 1 na 4 maanden leesonderwijs
AVI 2 na 6 maanden leesonderwijs

Klavertje 2
AVI 3 na 9 maanden leesonderwijs
AVI 4 na 1 jaar leesonderwijs

Klavertje 3
AVI 5
AVI 6 na 18 maanden leesonderwijs

Klavertje 4
AVI 6
AVI 7 na 2 jaar leesonderwijs

De Witte Ridder

Tekst en tekeningen
Harmen van Straaten

KLUITMAN

Nieuwe systeem:

LEES N!VEAU

		ME	ME	ME	ME	ME		
AVI	S	3	4	5	6	7	P	
CLIB	S	3	4	5	6	7	8	P

Ridders I Magie

Toegekend door Cito i.s.m. KPC Groep

Zie verder www.kluitman/educatief.nl

Nur 287/L020703
© Uitgeverij Kluitman Alkmaar B.V.
Omslagontwerp: Design Team Kluitman

www.kluitman.nl

Ridder Mark

Mark puft van de warmte.
Hij doet zijn helm af.
Ik ben even geen ridder, denkt Mark.
Hij is boos.
Hij zou een gevecht houden met Thijs.
Thijs is zijn vriend.
Ze zijn ridders.
En ze vechten met houten zwaarden.
Die hebben ze zelf gemaakt.
In de schuur van Thijs.
Het deksel van de vuilnisbak is het schild.

Mark is de ridder van de zwarte tulp.

Thijs noemt zich de ridder zonder vrees.

Mooi niet, denkt Mark.

Thijs mag niks van zijn moeder.

Nu is ze boos.

Omdat Thijs de hamer heeft gepakt.

Is dat nou zo erg? denkt Mark.

Hoe moet je anders een zwaard maken?

Thijs mag nooit iets.

Hij kan toch stiekem komen...

Alsof zijn moeder dat merkt.

Thijs is meer een ridder schijterd, vindt Mark.

Een ridder zonder vrees van niks.

Een echte ridder is nergens bang voor.

Ook niet voor zijn moeder.

In je eentje ridder spelen is niks aan.
Mark gaat op de stoep zitten.
Pffft, wat is het warm.
„Hallo," hoort Mark opeens.
Het is een zware stem.
Hij kijkt om zich heen.
„Ik zeg: hallo ridder."
Daar staat een man.
Hij lacht.
De man heeft een gouden tand.
Die glimt in de zon.

„Wat is er?" vraagt de man.
„Ben je soms iets kwijt?"
Mark vertelt dat hij boos is.
Op Thijs.
Mark vindt de man best eng.
Maar een ridder is niet bang.
Nooit.
„Aha," zegt de man.
„Misschien heb ik iets voor je."

De man loopt naar zijn auto.
Die ligt vol met oude troep.
Hij komt terug met iets in zijn hand.
„Kijk," zegt hij.
„Dit is een echte toverlamp.
Je moet er over wrijven.
Dan mag je een wens doen.
Misschien kun je een gevecht wensen.
Met een echte ridder."
Mark rilt van de man.
Maar hij laat niks merken.
Zo zijn ridders.
Dapper pakt Mark de lamp.

„Nou," zegt de man.
„Ik moet verder.
Op zoek naar meer oude spullen.
Veel succes met het gevecht."
Hij doet alsof hij een zwaard heeft.
Mark houdt zijn schild omhoog.
Dan kan de man hem niet raken.

De olielamp

Marks moeder kijkt op.

„Ben je nu al weer thuis?"

„Hm," bromt Mark.

„Thijs mag niet van zijn moeder."

Dan ziet Marks moeder de lamp.

„Wat is dat voor ding?

Heb je nog niet genoeg troep?

We groeien dit huis uit!

Ik heb net een doos gemaakt.

Met troep die we niet nodig hebben.

Doe hem daar maar in.

En neem de doos mee naar je kamer.

Voor oud speelgoed en zo.

Morgen wordt hij opgehaald."

Mark bromt weer wat.

Dan gaat hij naar zijn kamer.

Mark gooit de doos in een hoek.
De lamp zet hij op zijn plank.
Hij heeft geen zin om op te ruimen.
Mark speelt met zijn kasteel.
De boze ridder wil de prinses pakken.
Maar dan komt de witte ridder.
Die redt de prinses.

De moeder van Mark roept: „Ga je mee?
We gaan zwemmen."
Ze blijven de hele middag.

Mark ligt in bed.

Opeens denkt hij aan de lamp.

Hij pakt hem van de plank.

Mark wrijft er over.

„Ik wens een echt gevecht," zegt hij.

„Met dappere ridders."

Maar er gebeurt niks.

Ook niet na drie keer wrijven.

Boos gooit Mark de lamp in de doos.

Zijn moeder komt binnen.

„Ga je slapen?" vraagt ze.

„Nog even lezen," zegt Mark.

Mark doet het licht uit.

Even later valt hij in slaap.

„Hallo," hoort Mark roepen.

„Slaapkop!

Word eens wakker."

Mark wrijft in zijn ogen.

Voor hem staat een geest.

Hij heeft een gouden tand.

„Je riep me," zegt de geest.

Mark kijkt verbaasd.

„Je wreef toch over de lamp?

Nou, daar ben ik dan.

Het heeft even geduurd.

Ik lag ook zo lekker te slapen."

De geest gaapt.

Dan rekt hij zich uit.

„Maar nu: aan het werk."

De geest pakt het zwaard.

Mark kruipt onder zijn dekbed.
„Kom op, ridder bangebroek.
Je wou toch een gevecht?
Dat kan elk moment beginnen.
Pak vlug je spullen."
Mark pakt zijn helm, zijn zwaard,
het schild en zijn harnas.
De geest knipt met zijn vingers.
Mark ziet een flits.

De zwarte ridders

Mark staat bij een grote rots.
Hij zit op een paard.
„Alles naar wens?" vraagt de geest.
„Roep maar als je me nodig hebt.
Veel plezier."
En weg is hij.

Nu is Mark alleen.
Hij rijdt met zijn paard langs de rotsen.
De vogels maken een hoop lawaai.
Opeens hoort Mark iets anders.
Het is het geluid van hoeven.
Er komen paarden aan!
Gauw gaat hij achter een rots staan.

Het zijn twee ridders.

Ze zijn in het zwart.

Ze stoppen vlak bij hem.

Mark houdt zijn adem in.

Hij hoort ze praten.

De een zegt:

„Ik heb ridder Graddus gevangen.

De witte ridder.

Zoals we hadden bedacht."

„Waar is hij nou?" vraagt de ander.

„In de watermolen," zegt de een.

„Ik heb zijn harnas bij me."

„En nu?" vraagt de ander.

„Ik trek het harnas aan.

Dat heb ik al tien keer verteld.

We rijden straks naar het kasteel.

Jij blijft buiten bij de brug wachten.

Precies volgens het plan.

Ik doe alsof ik de witte ridder ben.

Zo doe ik mee aan het toernooi.

Niemand zal het doorhebben.

En als ik bij de hertog ben…"

„Ja, wat dan?" vraagt de ander.

Hij krijgt een tik op zijn helm.
„Ben je soms achterlijk of zo?
Dat heb ik toch al gezegd?
Dan grijp ik zijn dochter.
En ik smeer hem.
Jij doet vlug de poort dicht.
Hoe vaak heb ik dat nou al gezegd?"
„Heel vaak, baas."
De eerste ridder zucht.
„Wat ben jij dom, zeg.
Zeg me na: Ik ben heel erg dom."
„U bent heel erg dom."
Mark hoort weer een harde tik.
„Niet ik, jij!" hoort hij brullen.
„Kom, we moeten snel zijn."
De ridders rijden weer door.

Ridder Graddus

Mark denkt na.
Hij moet wat doen!
Waar is de watermolen?
Hij moet de witte ridder bevrijden.
Mark kijkt om zich heen.
Hij ziet een rivier.
Daar moet ook de watermolen zijn.
Mark rijdt langs een pad.
Zijn paard loopt voorzichtig.
De rotsen zijn steil.
Brrr...
Mark durft niet opzij te kijken.
Dan ziet hij de watermolen.
Mark bindt het paard aan een boom.
Hij zoekt naar de ingang.
Er is geen tijd te verliezen.
Daar is de deur...

„Hallo," roept Mark.

Hij hoort gekreun.

Het komt van boven.

Snel pakt Mark een ladder.

Hij klimt omhoog.

Daar zit ridder Graddus.

Hij zit met een touw vast aan een paal.

Om zijn mond zit een doek.

Mark maakt hem snel los.

Hij vertelt wat hij gehoord heeft.

Ridder Graddus gaat staan.

„We moeten snel naar het kasteel.

Maar hoe?" zegt hij.

„Op mijn paard," roept Mark.

Ze rennen naar buiten.

De ridder kijkt benauwd.

„Houdt hij dat wel?

Het is niet zo'n groot paard."

„Vast wel," zegt Mark.

„Kijk," roept ridder Graddus.

„Daar is het kasteel."

Mark wijst naar de poort.

„En daar is die domme ridder!"

De ridder staat naast de poort.

Hij heeft andere kleren aan.

Kleren van een wachter.

Maar Mark herkent hem toch.

We moeten hem vangen, denkt Mark.

Hij bedenkt een list.

Mark fluistert Graddus iets in zijn oor.

Dan rijdt hij naar de poort.

Hij gooit een steen naar de ridder.

Die komt boos op Mark af.

Er staat iemand achter hem.

Maar dat ziet hij niet.

Het is ridder Graddus.

Die geeft de domme ridder een dreun.

Mark en hij binden hem vast.

Graddus gaat naast de poort staan.

Mark sluipt naar binnen.

Hij gluurt om een hoek.

Het toernooi

Mark ziet een plein.
Het is er druk.
Er klinken hoorns.
Mark hoort ook trommels.
Overal staan tenten met vrolijke strepen.
„Let op!" roept een stem.
„Daar zijn de hertog en zijn vrouw!
Het toernooi kan beginnen.
Het wordt een strijd van de witte ridder
tegen de ridder van de zwarte tulp."
De twee ridders komen er aan.
Ze hebben lange lansen.

Eerst moeten de ridders buigen.

Voor de hertog, zijn vrouw en hun dochter.

Zij heeft een zakdoek.

Die laat ze vallen.

Er klinkt een luid gejuich.

Het toernooi is begonnen!

Mark kijkt naar de ridders.

Ze gaan op hun plek staan.

Ze rijden in galop naar elkaar toe.

Met hun lansen recht vooruit.

Ze moeten de ander van zijn paard duwen.

Maar ze blijven alle twee zitten.

Het publiek gilt.

Mark houdt zijn adem in.

De ridders proberen het steeds weer.

Dan wankelt de ridder van de zwarte tulp.

De witte ridder duwt hem van zijn paard.

Blij zwaait hij met zijn lans.

Het gevecht is over.

Daar gaat de ridder van de zwarte tulp.

Twee mannen dragen hem weg.

Gelukkig is hij niet erg gewond.

De witte ridder rijdt naar de zakdoek.

Hij pakt hem met de punt van zijn lans.

Dan houdt hij de zakdoek in de lucht.

De dochter van de hertog wil hem pakken.

Maar de witte ridder grijpt haar beet.

Hij trekt haar op zijn paard.

In galop rijdt hij naar de poort.

„Stop hem!" roept de hertog.

De wachters rennen achter hem aan.

De vrouw van de hertog valt flauw.

De hertog wappert met zijn kussen.

„Doe wat!" gilt hij.

„Houd hem tegen."

Mark draait zich vlug om.

Hij rent naar ridder Graddus toe.

De echte witte ridder.

De nep witte ridder nadert de poort.

De wachters zijn te laat.

Hij glipt tussen de twee zware deuren door.

„Nu!" roept Mark.

Opeens lijkt het of de ridder vliegt.

Met een plof landt hij in het zand.

De dochter van de hertog valt naast hem.

„Gelukt!" roept Mark blij.

Hij laat het touw los.

Dat had hij met Graddus gespannen.

Het paard is er over gestruikeld.

De dochter van de hertog gaat staan.

Ze is niet gewond.

Alleen een beetje vies.

De hertog komt erbij staan.

Mark vertelt wat er gebeurd is.

De wachters grijpen de twee zwarte ridders.

Ze nemen hen mee

naar een kerker in de hoogste toren.

En ridder Graddus is blij.

Hij kan zijn eigen harnas weer aan.

Feest

Die avond is er een groot feest.
De hertog roept Mark naar voren.
Mark buigt voor hem.
Dan pakt de hertog zijn zwaard.
Mark kijkt op.
Wat krijgen we nou, denkt hij.
De hertog slaat met zijn zwaard
op de schouder van Mark.
De hertog spreekt langzaam.
„Hierbij sla ik Mark tot ridder.
Ridder Leeuwenmoed zal zijn naam zijn."
Mark kijkt trots naar ridder Graddus.
Maar die let niet op Mark.

De dochter van de hertog lacht naar hem.
Ze geeft ridder Graddus haar zakdoek.
Mark stoot de hertogin aan.
„Volgens mij zijn ze verliefd."
De hertogin kijkt blij.

27

„Heb je nog een wens?" vraagt de hertog.

„Ja," zegt Mark.

„Ik wil nu wel naar huis."

Opeens wordt het donker.

Mark kijkt om zich heen.

Hij ligt in zijn eigen bed.

Dan valt hij in slaap.

Mark wordt wakker.

Wat een avontuur, denkt hij.

Zijn schouder doet pijn.

Dat komt vast door de klap van het zwaard.

Toen de hertog hem tot ridder sloeg.

„Mark!" hoort hij roepen.

Het is zijn moeder.

Ze roept dat hij op moet schieten.

Thijs staat bij de voordeur.

Zijn straf is over.

Mark is vergeten dat ze gaan zwemmen.

Snel kleedt hij zich aan.

Mark vertelt Thijs over de toverlamp.

Maar die gelooft er niks van.

Na het zwemmen rent Mark snel naar huis.

Hij wil de lamp pakken.

Die wil hij aan Thijs laten zien.

Dan ziet Mark een auto langsrijden.

Het is de man met de gouden tand.

Hij zwaait naar Mark.

Dan verdwijnt de auto om de hoek.

Mark rent naar binnen.

„Mam, waar is die doos?" roept hij.

Zijn moeder wijst naar buiten.

„Die heb ik net meegegeven."